roman bleu

Dominique et Compagnie

Sous la direction de

Yvon Brochu

Agathe Génois

L'île aux mille visages

Illustrations

Stéphane Jorisch

**Données de catalogage
avant publication (Canada)**

Génois, Agathe, 1952-
L'île aux mille visages
(Roman bleu)
Pour enfants de 10 ans et plus.

ISBN 2-89512-168-0

I. Jorisch, Stéphane II. Titre.

PS8563.E55I44 2001 jC843'.54 C00-94803-2
PS9563.E55I44 2001
PZ23.G46Il 2001

© Les éditions Héritage inc. 2000
Tous droits réservés
Dépôts légaux : 1er trimestre 2001
Bibliothèque nationale du Québec
Bibliothèque nationale du Canada
Bibliothèque nationale de France

ISBN 2-89512-168-0
Imprimé au Canada

10 9 8 7 6 5 4 3

Direction de la collection :
Yvon Brochu, R-D création enr.
Éditrice : Dominique Payette
Direction artistique et graphisme :
Primeau & Barey
Révision-correction :
Martine Latulippe

Dominique et compagnie
300, rue Arran
Saint-Lambert (Québec) J4R 1K5
Téléphone : (514) 875-0327
Télécopieur : (450) 672-5448
Courriel :
info@editionsheritage.com

Nous remercions le Conseil des Arts
du Canada de l'aide accordée à notre
programme de publication. Nous reconnaissons l'aide financière du gouvernement du Canada par l'entremise du
Programme d'aide au développement
de l'industrie de l'édition (PADIÉ) pour
nos activités d'édition.

Nous reconnaissons l'aide financière du
gouvernement du Québec par l'entremise du Programme de crédit d'impôt
pour l'édition de livres – SODEC – et du
Programme d'aide aux entreprises du
livre et de l'édition spécialisée.

*Un immense merci à Yvon Brochu,
bien plus qu'un directeur littéraire,
un guide très sensible et généreux,
un grand complice, un ami.*

Prologue

Toute personne qui visite l'île aux Grues a l'impression d'atterrir en pleine légende! Les habitants de l'île parlent encore d'événements mystérieux survenus là-bas autrefois. Un bonhomme sans tête a longtemps semé la terreur parmi eux, sans compter les fantômes des naufragés et autres personnages surnaturels aperçus ou entendus sur les battures.

Environ 250 personnes vivent à l'île aux Grues en toute saison. Cette île, située au milieu du fleuve Saint-Laurent, à l'est de Québec, au large de Montmagny, n'est reliée à la terre ferme par aucun pont. On s'y rend en traversier, ou à bord d'un petit avion. Quand le fleuve est glacé, environ cinq mois par année, les insulaires vivent isolés du reste du monde : seul l'avion leur permet d'aller sur le continent. Les enfants de l'île aux Grues vont à l'école à Montmagny et font le trajet en avion durant l'année scolaire.

Sur l'île, les gens se connaissent tous. Leur plus grand plaisir : se déguiser pour ne plus se reconnaître, une fois par année, en mars, pendant les fêtes de la mi-carême. C'est l'un des rares endroits au Canada où l'on perpétue cette tradition venue de France avec nos ancêtres.

L'originalité et la grande beauté des costumes que les femmes de l'île mettent tout l'hiver à confectionner attirent journalistes et photographes. À moins que ce soit l'espoir d'apercevoir enfin le bonhomme sans tête et de réussir, pour la première fois, à le photographier ?

8

Chapitre 1

Le cauchemar d'Elsa

—Vous m'aviez juré qu'en quittant Montréal, je n'aurais plus peur dans la rue ! Vous m'aviez dit que Montmagny était une petite ville où tous les gens se connaissaient. Vous m'avez menti ! C'est une grande ville et, en plus, un maniaque a enlevé Stéphanie Fortin !

Bien que Stéphanie n'ait jamais été ma plus grande amie, je suis bouleversée chaque fois que je jette un coup d'œil vers sa place vide en classe. Stéphanie a disparu il y a quatre jours.

– Tu es fâchée qu'on ne t'emmène pas avec nous en fin de semaine, Elsa ? conclut ma mère en terminant son café. Robert et moi avons envie de faire un petit voyage en amoureux. Nous voulons souligner le cinquième anniversaire de notre rencontre.

– Je pensais que vous m'aimiez aussi.

– Elsa ! Pas de chantage, s'il te plaît. Tu sais bien qu'on t'aime. Termine ton petit déjeuner, tu vas être en retard.

– Je n'ai pas faim.

Ma mère prétend le contraire, mais depuis qu'elle n'est plus avec mon vrai père, elle m'aime moins. Je me sens de trop.

– Vous m'abandonnez au pire moment…, dis-je en prenant mon sac.

—On ne t'abandonne pas, Elsa, et tu le sais. Tu devrais être contente d'aller passer la fin de semaine chez ton amie Kim. Tous les gens se connaissent à l'île aux Grues. Pour nous, c'est même rassurant de savoir que tu seras là-bas pendant notre absence.

Je quitte la maison en claquant la porte. Ma mère ne tarde pas à l'ouvrir derrière moi :

—Bonne journée, Elsa !

N'ayant pas le cœur à la saluer comme d'habitude, en lui tendant gentiment le journal qui me tire la langue dans la boîte aux lettres, je file tout droit.

—Sois prudente ! lance-t-elle.

J'habite seulement à neuf minutes de marche de l'école. Impossible de profiter de l'autobus scolaire ; encore

11

moins de l'avion, comme mon amie Kim et les huit autres enfants de son île.

Kim habite l'île aux Grues depuis qu'elle est née. Comme je l'envie ! Moi, je déménage sans arrêt. À force de tout quitter, j'ai l'impression de ne jamais me poser nulle part. Chicoutimi, Sherbrooke, Drummondville, Montréal… Cette année, on m'a parachutée ici, à Montmagny. Pour combien de temps ? Jusqu'en juillet, je suppose.

La cause de tous ces déplacements, c'est Robert, mon deuxième père : chaque année, son patron l'envoie travailler dans une nouvelle ville. « Je suis privilégié ! dit souvent Robert. Je n'ai pas le temps de subir la routine. »

Moi, c'est tout le contraire : je n'en

peux plus de déménager ! Dès que je commence à me sentir bien quelque part, ma mère se met à faire des boîtes.

« Brrr… » L'air froid se faufile dans la manche de mon manteau tandis que je consulte ma montre.

J'accélère le pas en jetant un coup d'œil éclair aux alentours : y a-t-il quelqu'un dans les voitures stationnées ? Non, la voie est libre. Je peux continuer. « Soyez très vigilants ! » nous a recommandé monsieur Jacques, notre professeur, après nous avoir montré un portrait-robot. Un camion s'arrête. Un livreur descend. Fausse alerte : il n'a pas les cheveux bruns. Je ne prends aucun risque : je traverse la rue et j'emprunte l'autre trottoir.

Depuis hier, une scène troublante

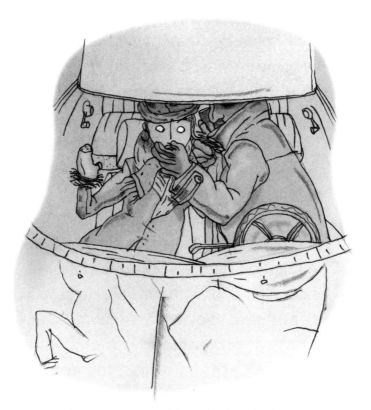

me hante et se déroule à répétition, comme si un magnétoscope dé-traqué se trouvait dans ma tête. Je vois toujours Stéphanie Fortin. Elle quitte l'école. Elle marche seule. Une auto s'arrête près d'elle. Un homme baisse la glace et lui dit que sa mère est à l'hôpital, que son père lui a demandé de venir la chercher à l'école. « C'est urgent, il faut aller les rejoindre… », insiste l'inconnu. Sans hésiter, Stéphanie monte dans la voiture. Aussitôt, l'individu appuie sur un bouton pour verrouiller les portières. En entendant le « Clic ! », Stéphanie prend tout à coup conscience qu'elle est en danger. Tout s'est passé trop vite ! Elle a oublié les avertissements donnés à l'école : surtout, ne pas monter dans l'auto d'un étranger. Gros plan sur ses yeux bruns remplis de panique. Au premier feu rouge, elle tente vainement d'ouvrir la portière pour s'enfuir.

STOP ! STOP ! STOP ! J'essaie de ne penser à rien. Je ne veux pas voir la suite. Impossible ! Le visage de

Stéphanie réapparaît. Je vois bien qu'elle est morte de peur.

Il y a une semaine, une petite fille de l'Islet a aussi failli être enlevée à sa sortie de l'école. Elle a raconté comment un étranger a voulu la convaincre de monter dans sa voiture. Elle ne l'a pas écouté et s'est enfuie. C'est grâce à elle si les policiers ont pu composer un portrait-robot. Je me souviens par cœur de la description du suspect qui l'accompagne : « Environ 35 ans, très grand, cheveux bruns, grisonnant aux tempes. Caractéristiques particulières : il a des sourcils très épais qui se rejoignent entre les yeux et la peau de son visage est légèrement crevassée. L'homme portait un anorak rouge. Il se déplace dans une auto noire, assez grosse et plutôt vieille. »

Où le maniaque a-t-il emmené Stéphanie Fortin ? Que lui est-il arrivé ? Stéphanie habite tout près de chez moi. Ou plutôt, habitait…

Et tandis que j'approche de l'école, je me dis que le maniaque a sûrement espionné Stéphanie avant de l'enlever. Il a dû la suivre dans notre quartier. Catastrophe ! S'il l'a suivie samedi dernier, il sait où j'habite. Ce jour-là, Stéphanie est venue me porter un livre à la maison : *Le cauchemar d'Elsa.* Elle voulait absolument me le prêter parce que le personnage principal porte mon nom.

Je l'ai terminé hier soir, juste avant de m'endormir. Une histoire horrible. Et dire que Stéphanie vit peut-être un cauchemar aussi terrible ! Malheureusement, dans son cas, ce n'est pas un roman.

Chapitre 2

Réaliser l'impossible

Ouf! me voici enfin arrivée à l'école. Je suis contente de ne plus être seule. Les élèves se bousculent dans les corridors. Au lieu de me mettre les nerfs en boule, aujourd'hui, ce brouhaha me rassure!

Comme tous les matins, Kim est calme.

– À l'île aux Grues, nous n'avons pas peur! me dit-elle en ouvrant lentement la porte de son casier.

– Tu en as de la chance!

– Tu n'auras rien à craindre, toi non plus, cette fin de semaine.

D'étranges rumeurs circulent à propos de son île. On dit que c'est très petit et très tranquille. Il n'y a pas de club vidéo, ni de cinéma, ni de bibliothèque, ni de McDo, ni de magasins. Il n'y a presque pas de voitures… Si je m'ennuyais ?

Et comme si Kim lisait dans mes pensées, elle ajoute :

– Tu verras, Elsa, la mi-carême, c'est la plus belle fin de semaine de l'année à l'île ! Plein de gens se costument. Ils font le tour des maisons pendant que les autres essaient de les reconnaître, comme à l'Halloween, mais les fêtes de la mi-carême durent dix jours. Et puis, demain, il y a une soirée à l'auberge. Nous allons nous costumer.

– C'est bébé de se costumer !

– Pas du tout ! À l'île, ce sont surtout

les adultes qui se déguisent. Les femmes dessinent elles-mêmes tous les costumes et les confectionnent pendant l'hiver, en secret… Aïe!

Mathieu nous a bousculées en se hâtant pour rejoindre son ami:

– Hé! Elsa, c'est ton amoureux? lance-t-il en passant devant le portrait-robot du suspect qui a enlevé Stéphanie.

On le voit dans tous les corridors. Avec son nez court et trapu, sa grande bouche aux lèvres serrées, ses yeux noirs malins, ses sourcils qui n'en finissent plus et sa peau de lézard, le maniaque semble nous épier partout dans l'école.

– Tu as vu comme ses yeux sont bizarres? dis-je à mon amie.

– Arrête de le regarder! m'ordonne Kim. On dirait que tu fais

exprès pour avoir peur.

–Ce n'est pas ma faute! Monsieur Jacques nous a dit de bien le regarder pour se rappeler de quoi il a l'air.

Même si le maniaque me fait peur, je n'arrive pas à détacher les yeux de son regard intense. Il m'hypnotise !

– On jurerait qu'il est vivant, tu ne trouves pas, Kim ?

– Arrê-ê-ête ! s'exclame mon amie, en faisant claquer la porte de son casier.

Plus je le regarde, plus il prend vie. « Je vais t'attraper, toi aussi ! » semble me dire le maniaque. Au secours ! Je me sauve dans la classe, où l'agitation règne. Même notre professeur semble nerveux.

– Les enfants, commence-t-il, je sais que ce n'est pas facile. Nous sommes tous bouleversés par les événements des derniers jours.

Il nous regarde un à un, lentement, comme s'il nous voyait pour la première fois. Ou pour la dernière…

—Il vous faudra beaucoup de concentration pour continuer l'année scolaire normalement.

Il referme les livres qui traînent sur son bureau.

—Pour vous aider à y arriver, nous nous concentrerons sur un projet passionnant pendant les prochaines semaines.

—Encore un exposé oral, je suppose ? lance Mathieu, moqueur.

—Non, continue monsieur Jacques, pas d'exposé oral. Cette fois, vous allez apprendre pour vrai !

Grand silence. La classe entière retient son souffle, curieuse d'en savoir plus.

—Chacun de vous a sûrement un grand rêve qu'il espère réaliser un jour…

Plusieurs mains se lèvent, s'agitent.

Tout le monde est excité et parle en même temps. Kim se tourne vers moi, un énorme point d'interrogation dans les yeux.

– C'est quoi, ton plus grand rêve ? chuchote-t-elle.

Mon rêve ? Je ne sais pas. Quand on déménage tout le temps, les rêves n'ont pas le temps de pousser !

– Alors, c'est quoi, ton rêve ? répète mon amie.

Kim m'a déjà dit qu'elle rêve d'être conteuse, comme son grand-père. Vite, il faut trouver quelque chose… Je lance la première idée qui me vient à l'esprit :

– Je veux devenir enquêteur de police pour attraper les maniaques qui enlèvent les enfants !

Kim me regarde, étonnée. Il y a de quoi : ce n'est pas vraiment mon

genre de jouer à l'héroïne. Je trouverai peut-être une meilleure idée
plus tard.

—Écoutez-moi bien, reprend monsieur Jacques. Dans les prochaines
semaines, vous allez entreprendre la
réalisation de votre plus grand rêve.

Les élèves se taisent, interloqués.
J'ai beau chercher, je sens un vide en
moi… Suis-je la seule à ne trouver
aucune trace de rêve dans son esprit? Que vais-je faire?

Mathieu, toujours prêt à mettre le
prof en boîte, lève la main le premier:

—Si notre rêve est d'aller sur une
autre planète, comment allons-nous
le réaliser?

—Je ne vous demande pas d'aller
sur une autre planète! lance monsieur Jacques. Je propose seulement
à chacun de poser un premier geste

pour concrétiser son rêve. Les astro-nautes ne vont pas dans l'espace du jour au lendemain. Il y a un début à toute chose.

– Pouvez-vous nous donner un exemple ? demande Emmanuelle.

– Eh bien… si je rêve de devenir un artiste et de partir en tournée à travers le monde avec le Cirque du Soleil, j'irai d'abord m'inscrire à un cours de jonglerie ! La Maison des jeunes en offre le samedi.

La voix chaude et le grand sourire de monsieur Jacques réussissent chaque fois à nous faire croire que tout est possible ! Plus je le regarde, plus je l'écoute, et plus je le trouve beau. Plus je le trouve beau, plus je le crois, et plus je veux lui faire plaisir. Je ne veux surtout pas le décevoir.

– J'en suis persuadé : chacun

d'entre vous peut dès maintenant s'approcher de son rêve. Vous avez toute la fin de semaine pour choisir quel premier geste concret vous poserez pour y arriver.

Zut! cette fin de semaine, je serai à l'île aux Grues. Si je restais chez moi, je pourrais jouer à l'enquêteur de police. Peut-être qu'à force de répéter que c'est mon rêve, cela le deviendra vraiment? Je pourrais interroger nos voisins, chercher des indices. La voiture du suspect a-t-elle été aperçue dans le quartier? Quelqu'un a peut-être noté le numéro de sa plaque d'immatriculation? Grâce à moi, on pourrait retrouver Stéphanie et mettre le ravisseur d'enfants en prison. Monsieur Jacques serait sûrement impressionné!

– Attention, ajoute-t-il, je vous

préviens : dès que vous ferez vos premiers pas pour réaliser votre rêve, vous rencontrerez des problèmes imprévus, des embûches. Il faut traverser des épreuves avant d'atteindre un but.

– Comme les chevaliers de la Table ronde en quête du Graal…, souligne mon amie, qui connaît les plus grandes légendes.

– Exactement ! s'exclame monsieur Jacques. Vous verrez que des énergies négatives tentent souvent de nous empêcher de réussir, de façon sournoise.

– Des énergies négatives ? demande Emmanuelle. C'est qui ? C'est quoi ?

– C'est le diable ! lance Mathieu d'une voix caverneuse, pour nous faire peur.

– Nos rêves ont le pouvoir de guérir le monde, reprend monsieur Jacques. C'est pourquoi les énergies négatives veulent nous empêcher de les réaliser.

– Comment font-elles ? insiste Emmanuelle, effarouchée.

– On a tous un petit diable qui se cache au fond de nous ! Vous savez, cette voix méchante qui nous fait douter de tout ? Une voix qui nous décourage dès que l'on veut faire ce qui nous tient le plus à cœur ? Cette voix ne montre que le mauvais côté des choses… Il faut être très fort pour ne pas l'écouter.

Chapitre 3

Le diable existe vraiment

Impossible de dormir ce soir ! L'enlèvement de Stéphanie… le portrait-robot… Chaque fois que je crois enfin sombrer dans le sommeil, une pensée troublante me fait sursauter et me trouble à nouveau l'esprit. Un rêve à réaliser… l'île aux Grues… les énergies négatives… le diable… Je me tourne et me retourne dans mon lit.

Cet après-midi, à la récréation, Kim m'a raconté une histoire effrayante : celle du « diable à la danse ». Elle dit que c'est réellement arrivé, près d'ici, dans la région de Montmagny. Son grand-père lui a même déjà montré la maison où les événements ont eu lieu.

C'était il y a longtemps, à l'époque où les prêtres interdisaient aux gens de danser le soir du Mardi gras, après minuit. S'ils désobéissaient, le diable s'emparerait de leur âme et ils iraient en enfer. Les Latulipe, une famille vivant dans un rang près de l'Islet, avaient invité tous leurs voisins à veiller autour d'un violoneux. Tous avaient promis d'arrêter la danse avant minuit.

Mais Kim raconte qu'un personnage étrange s'est présenté vers onze heures et demie. Il était beau, très grand et richement vêtu. Personne ne le connaissait. Au début, il fascinait les gens; mais peu à peu, une flamme sournoise dans son regard semait la méfiance autour de lui. Aussi, des faits étranges se déroulaient dans la maison depuis son arrivée; le bébé se mettait à hurler chaque fois que le mystérieux personnage passait près de lui.

L'étranger dansa avec Rose, la fille de monsieur Latulipe. Un peu avant minuit, quand monsieur Latulipe voulut faire cesser la musique, l'étranger refusa de s'arrêter : « Encore une petite danse ! » supplia-t-il. Quand l'horloge commença à sonner les douze coups de minuit, il continua d'insister : « Encore une danse… Une petite dernière ! » Ensorcelée, Rose Latulipe continuait aussi de danser.

Peu à peu, les invités de monsieur Latulipe quittèrent la veillée. Il faisait très, très froid cette nuit-là. Voyant que la neige avait miraculeusement fondu autour de la carriole et du cheval de l'étranger, ils comprirent avec horreur qu'ils avaient côtoyé le diable en personne! Au même moment, ce dernier sortit de la maison en trombe, portant Rose Latulipe dans ses bras. Il voulait l'emmener avec lui en enfer, mais la grand-mère de Rose était une femme très astucieuse: voyant que le bébé hurlait en présence de l'étranger, elle avait tout deviné et tout prévu… Elle aspergea le diable d'eau bénite et il disparut aussitôt en fumée, laissant une forte odeur de soufre derrière lui.

Rose Latulipe retrouva ses esprits; elle réalisa qu'elle avait eu beaucoup de chance d'avoir été sauvée juste à temps. Plus tard, elle expliqua qu'en dansant avec le diable, elle sentait ses griffes lui entrer dans le dos. Brrr…

Kim prétend que le grand-père de son grand-père a déjà parlé à des gens qui étaient chez les Latulipe ce soir-là. Elle dit aussi que même si on ne le voit pas, le diable existe encore de nos jours et qu'il est toujours à la recherche de victimes pour les amener à faire le mal.

C'est ce qui me fait le plus peur ! Comment savoir quand il est là ? Comment le reconnaître ? Et comment se protéger ? Le diable peut-il venir pendant mon sommeil et m'ensorceler ? Peut-il m'entraîner avec lui ? Les forces du mal peuvent-elles détruire le monde ?

Dire que j'habite maintenant une région où le diable est apparu souvent autrefois ! Ici, des dizaines et des dizaines de contes parlent de lui. On l'a vu partout autour : à l'île d'Orléans, à Trois-Pistoles, à Rivière-du-Loup. Kim jure même qu'il a laissé des traces de son passage sur un rocher, à l'île aux Grues : on voit des pas de bête et une empreinte qu'on dirait faite par une queue fourchue…

Déjà minuit ! Il faut que je dorme. Je pars pour l'île de Kim tôt demain matin.

Chapitre 4

Prisonnière d'une île et de ses mystères

En compagnie de ma mère et de Robert, je me prépare à monter dans l'avion qui doit m'amener à l'île aux Grues.

– Tu seras en sécurité sur l'île, Elsa. Tout le monde se connaît ! lance Robert, en soulevant mon sac.

Pour le moment, toute mon attention se porte sur ce minuscule appareil qui est là, devant moi: l'idée de monter à bord de ce très petit avion ne me rassure pas du tout. Il semble aussi fragile qu'un jouet.

–Amuse-toi bien! dit Robert.

–Sois tout de même prudente…, ajoute ma mère, qui échange ensuite quelques mots avec une dame.

–On vous la confie jusqu'à l'île, lui dit-elle. Son amie l'accueillera à l'arrivée.

Après avoir embrassé ma mère et Robert, je me faufile parmi les autres passagers sur la piste de décollage.

–Le vent est très fort, aujourd'hui, constate le pilote.

Devant mon air inquiet, il ajoute:

–Ne t'en fais pas. Je pilote des petits avions comme celui-là depuis quinze ans et je n'ai jamais eu de pépin.

Il m'aide à monter à bord et me prévient gentiment:

– La traversée est courte : quatre minutes et demie seulement. Le vol régulier le plus court au monde ! Ouvre grand les yeux dès le décollage pour ne rien manquer…

Il monte derrière le dernier passager, s'installe et fait vrombir le moteur. Je jette un coup d'œil par le hublot et j'aperçois maman et Robert, debout près de l'auto. Des larmes me montent aux yeux. J'ai l'impression de les voir pour la dernière fois. Est-ce un pressentiment ? Une folle pensée me traverse l'esprit : ma mère serait-elle vraiment triste si je disparaissais ?

– Tu as peur ? demande la dame qui m'accompagne jusqu'à l'île.

Je lui souris nerveusement en bouclant ma ceinture. L'avion avance sur la piste, se retourne lentement et roule de plus en plus vite, agité de soubresauts, comme s'il roulait sur un tapis de roches. Le moteur fait un vacarme terrible. Est-il brisé? Et s'il prenait en feu pendant le vol? Je regarde autour: personne d'autre ne semble inquiet. Est-ce donc ça, la voix du petit diable qui ne voit que le mauvais côté des choses?

Le nez de l'appareil s'élève un peu vers le ciel et, l'instant d'après, le vacarme diminue. D'un seul coup, tout devient plus doux. En bas, maman et Robert font de grands signes. Puis l'avion change de direction et je ne les vois plus. Me voici seule au monde pour la première fois de ma vie! J'en ai des frissons mêlés de plaisir et de peur. Une drôle de sensation… comme quand on mange du sucré avec du salé.

40

Nous volons déjà au-dessus du fleuve. Plus je flotte dans les airs, plus je suis joyeuse. Je me sens enfin à l'abri du maniaque. J'ai hâte de retrouver Kim, de visiter son île, de voir les personnages costumés.

Les autres passagers sont silencieux, sauf un gros bonhomme mal rasé qui dit soudain au pilote :

— Si j'étais le maniaque dont tout le monde parle, j'irais passer la fin de semaine à l'île. C'est la meilleure cachette au monde pendant la mi-carême ! Avec un bon déguisement, personne ne peut nous reconnaître.

Je n'y avais pas pensé ! Heureusement, en regardant l'île du haut des airs, je constate qu'elle n'est pas très grande.

— La police aurait vite fait de retrouver le maniaque, s'il était là !

dis-je tout haut à la dame assise près de moi.

–Toi, on voit bien que tu n'es pas de l'île! reprend l'homme en éclatant de rire.

–Pourquoi?

–Il n'y a jamais de policiers sur l'île pendant l'hiver, m'explique la dame.

Quoi? Il n'y a pas de police à l'île aux Grues? Une violente bourrasque secoue l'avion. Quelques passagers échappent un petit cri nerveux. Et moi qui me croyais maintenant à l'abri du danger!

Plus l'avion s'approche de l'île, plus j'ai l'impression d'émerger d'un rêve tranquille pour plonger dans un cauchemar: je m'en vais dans un endroit que je ne connais pas et d'où je ne peux pas me sauver, un endroit où il n'y a même pas de police alors qu'un ravisseur d'enfants rôde dans la région !

Je me sentais libérée en flottant dans les nuages mais, dès que notre avion se pose à l'île aux Grues, j'ai l'impression d'étouffer. Je suis désormais prisonnière de l'île… et de ses mystères.

Chapitre 5

Légende ou réalité ?

L'arrivée sur l'île me cause un choc : j'ai l'impression d'être devenue sourde ! Pas le moindre son. Rien ne bouge. Tout est si tranquille ! Même les oiseaux semblent voler au ralenti.

La piste d'atterrissage est située en retrait du village. Autour de la petite aérogare, je ne vois que de grandes étendues de neige et de ciel gris.

– Elsa ! Elsa !

Kim est là, toute seule, sans adulte qui l'accompagne, sans auto pour regagner la maison. J'espère qu'elle n'habite pas trop loin ; mon sac pèse une tonne !

–Kim, si le maniaque venait sur l'île et se déguisait, tu crois qu'on pourrait le reconnaître ?

C'est la première question qui me vient à l'esprit. Kim rit de toutes ses dents.

–Ne t'inquiète pas, madame Lisa le reconnaîtrait ! C'est la championne : elle arrive à éclaircir tous les mi-carêmes de l'île.

–« Éclaircir » ?

–Oui… Arriver à reconnaître qui se cache sous le costume. Au fait, ce soir, à la veillée, nous serons déguisées en cannibales ! As-tu hâte ?

Nous passons devant une première maison. Une dame sort sur la galerie et nous crie :

–Si tu veux, Kim, je peux aller vous reconduire, ton amie et toi…

Au même instant, un automobiliste s'arrête près de nous.

– Montez avec moi ! propose-t-il.

Je sursaute : il porte un anorak rouge et a les cheveux bruns, comme le maniaque ! Kim décline l'offre de la dame et ouvre la portière de la voiture sans méfiance. Je ne sais plus quoi faire. A-t-elle déjà parlé à cet homme ?

– Voyons, monte ! fait Kim en prenant mon sac à dos. C'est monsieur Painchaud, notre voisin d'en face.

– Bonjour, Elsa ! dit-il.

– Je lui ai souvent parlé de toi, m'explique Kim.

Elle raconte à monsieur Painchaud que la présence d'un ravisseur d'enfants dans la région me rend nerveuse.

– N'aie pas peur, Elsa. Il n'oserait

jamais venir ici ! affirme monsieur Painchaud d'une voix rassurante. Tout le monde se connaît !

Nous roulons sur une route étroite, la seule qui traverse l'île. Pourtant, nous ne rencontrons aucune voiture.

–Il n'y a jamais eu de crimes sur notre île, continue Kim pour me rassurer davantage. Ce n'est pas comme à Montréal, où tu vivais l'an dernier…

Elle a raison : ici, pas d'édifices, pas d'immeubles d'appartements, pas de béton, pas de magasins, pas de terrains de stationnement. Rien que de belles maisons en bois, une ferme ici et là, une église ancienne, des granges et une seule épicerie, toute petite, dans une maison comme les autres. Et surtout, au-delà des maisons, toujours ce grand fleuve où dérivent paresseusement des morceaux géants de neige et de glace. Pas de doute : me voilà dans un autre monde.

– Ici, quand nous voulons nous faire peur, pas besoin de meurtrier ! lance monsieur Painchaud. Il suffit de se rappeler l'histoire du bonhomme sans tête, n'est-ce pas, Kim ?

—Le bonhomme sans tête ? dis-je
en interrogeant Kim à mon tour.

—C'est la légende la plus célèbre
de l'île ! explique-t-elle. L'histoire
raconte qu'un nain sans tête appa-
raissait souvent aux gens, autrefois.
Il ne sortait que la nuit, sans jamais
laisser de traces de pas sur la neige.

—Il a semé la terreur d'un bout à
l'autre de l'île pendant de nom-
breuses années ! ajoute monsieur
Painchaud.

Un bonhomme sans tête ? Pas très
crédible… C'est sûrement une histoire inventée pour se moquer des
touristes comme moi.

—C'est une légende… Ce n'est pas
arrivé dans la vraie vie ! dis-je, sûre
de moi.

—Elsa, plusieurs témoins ont juré
jusqu'à leur mort qu'ils l'avaient

vraiment vu! répond pourtant Kim.

–Oui, Louis Lebel l'a rencontré le long d'une falaise, continue monsieur Painchaud d'une voix qui se fait plus grave. Le bonhomme sans tête avançait vers lui. Pris de peur, Lebel a sauté dans le vide. On l'a retrouvé sans connaissance le lendemain matin, mais il s'en est sorti. Il a juré jusqu'à sa mort qu'il avait rencontré le bonhomme sans tête. «J'ai eu l'impression d'affronter le diable en personne!» disait-il.

La voiture de monsieur Painchaud s'arrête devant une maison verte tournée vers le fleuve. Ses larges fenêtres ressemblent à de grands yeux qui refusent de se fermer pour ne rien manquer.

–Voilà, vous y êtes! annonce monsieur Painchaud.

Mais avant d'entrer chez elle, Kim tient absolument à me montrer quelque chose.

– Tu vois cette falaise ?

Un petit cap enneigé se dresse au bout de son doigt, derrière un vieux hangar.

– C'est là que le bonhomme sans tête est apparu la dernière fois.

Kim continue d'en parler comme s'il avait vraiment existé ! Légende ou réalité ? Je ne sais plus… Elle frappe à la porte : deux grands coups, suivis de cinq petits coups rapides.

– C'est notre code secret ! me dit Kim.

– Qui est là ? demande une voix à l'intérieur.

– Kim et Elsa ! répond joyeusement mon amie.

– Pourquoi avez-vous un code secret ?

Kim ne semble pas avoir entendu ma question.

– Viens, entrons ! fait-elle. Ma mère est en train de faire les dernières retouches aux costumes avec ses sœurs et ses amies.

La grande cuisine a été transformée en atelier de couture. Les stores sont baissés, les meubles ont été déplacés et deux grandes tables sont installées au milieu de la place. Plusieurs couturières s'affairent en rigolant, à l'abri des regards indiscrets.

– Personne ne doit entrer à l'improviste et découvrir les costumes, tu comprends ? m'explique enfin Kim. Voilà pourquoi on a un code secret.

Kim me présente sa mère, une jolie dame rieuse. Une paire de lunettes brisée tient par miracle au bout de son nez.

Une odeur extraordinaire flotte dans la cuisine. Une odeur que je n'arrive pas à reconnaître, qui m'enveloppe et m'étourdit de bien-être.

– Veux-tu goûter à mon pain de ménage, Elsa? suggère la mère de Kim. Il est encore tout chaud!

Pendant que je déguste la meilleure tartine au beurre d'érable que j'aie goûtée de ma vie, Kim me présente madame Lisa, qui repasse un long veston de velours rouge.

– C'est le costume du prince de Siam, explique-t-elle.

– Tu as vu mon chapeau d'arlequin? demande une autre, occupée à coller des plumes mauves.

Je distingue aussi un costume d'autruche, un autre de magicien et

des masques de toutes sortes auxquels on a collé des perles et des
paillettes aux couleurs vives.

Je regarde madame Lisa, elle me
fascine. Je suis impressionnée de
rencontrer celle qui arrive à éclaircir
tous les mi-carêmes de l'île !

– Comment faites-vous pour reconnaître les gens malgré leur costume ?

– Grâce à leurs gestes, à leur façon
de marcher ou à cause d'un petit air
de famille…, répond-elle avec un
air de fierté. Et puis, s'ils réussissent
à modifier leurs manières, ils ne
peuvent tout de même pas changer
la taille de leurs mains, ou la forme
de leurs yeux.

– Si quelqu'un portait un masque,
une grande tuque et des gants,
pourriez-vous deviner de qui il
s'agit ?

– C'est curieux que tu me poses la question ! lance madame Lisa. Il y a justement un personnage que je n'arrive toujours pas à éclaircir, cette année.

– Quel est son costume ? demande Kim.

– Il est déguisé en diable. Son visage est maquillé de rouge, il porte un passe-montagne surmonté de deux petites cornes et une grande cape noire brodée d'or. Il a fait le tour des maisons avant-hier.

– Son visage est-il crevassé ?

Ça y est, mon petit côté enquêteur vient de parler… Kim lève vers le ciel de grands yeux exaspérés et, avant que je poursuive mon interrogatoire, elle m'entraîne dehors :

– Viens, je vais te faire visiter mon île !

Chapitre 6

Un cœur s'arrête de battre

Depuis un moment, Kim et moi suivons l'étroite rue sinueuse qui longe le rivage. Une étrange atmosphère règne sur l'île aux Grues. Un je-ne-sais-quoi plane dans l'air, comme avant une explosion de feux d'artifice lors d'une grande fête.

—Tu vois le rocher là-bas, au bord du fleuve? demande Kim. Chaque année, une grande oie blanche revient passer l'été à cet endroit. Mon grand-père dit que c'est l'âme d'un marin qui s'est noyé là autrefois. Il entend parfois sa voix gémir dans le vent.

J'ai l'impression de vivre dans un
monde irréel. Passé et présent...
Légende et réalité... Habitants de
l'île et personnages fantastiques...
On dirait qu'ils vivent tous en même
temps, dans le moment présent.

Comme si, à l'île aux Grues, l'incroyable pouvait arriver.

– Tu y crois, toi? dis-je.

– Chut! fait Kim en tendant l'oreille. Écoute! On entend quelque chose au loin.

Elle a raison. Une musique se fait de plus en plus forte: un air de violon très entraînant, qui contraste avec les nuages lourds et le temps gris.

– Les galonnés! s'exclame mon amie. Tu as de la chance, Elsa, ils sortent rarement l'après-midi.

– Les *quoi*?

– Les galonnés! On les appelle ainsi à cause de leurs costumes couverts de rubans de toutes les couleurs. Viens… Allons à leur rencontre!

Kim s'élance en direction de la musique. Je la suis aussitôt. Nous atteignons rapidement la rue qui parcourt l'île. Ils sont là, devant l'épicerie : six personnages costumés qui traversent le village en dansant derrière un violoneux. J'ai des frissons partout ! Les galonnés défilent devant nous. Je nage dans un tourbillon de couleurs et d'éclairs lumineux.

–Attends-moi ici ! dit Kim au bout d'un moment. Je reviens tout de suite. Je dois acheter le journal pour mon grand-père.

Les galonnés portent tous le même costume : un vieux complet noir où sont cousus de longs bouts de ruban brillants, des paillettes, des fleurs en tissu, des boutons multicolores. Ils portent aussi un drôle de chapeau pointu, tout en hauteur.

Je suis soudain troublée en me

rappelant les paroles de l'homme dans l'avion : « Si j'étais le maniaque, je me déguiserais et j'irais passer la fin de semaine à l'île ! »

« Le maniaque est peut-être là, devant toi, parmi les galonnés ? » souffle la petite voix en moi qui veut toujours me faire peur. Je ne vois pas leurs visages : une taie d'oreiller leur couvre la tête. Ils ont dessiné un nez et une bouche sur le tissu jauni et taillé des trous pour les yeux, mais je n'ai pas peur car leurs gestes sont doux.

Je vais rejoindre Kim à l'épicerie. Je la vois qui prend le journal sur le haut de la pile, près du comptoir, et vient me retrouver près de la porte.

– Hé ! Kim, tu as oublié de payer !

– Ne t'inquiète pas, Elsa.

L'épicier parle au téléphone. Mon

amie se retourne, le salue en lui montrant le journal ; il approuve simplement de la tête, en souriant.

– Mon grand-père le paiera une autre fois, m'explique Kim.

Kim se sent partout chez elle. Moi, je ne suis chez moi nulle part.

– Elsa ! Regarde…

– Oh non !

À la une du journal, au-dessus d'une photo de Stéphanie, un titre-choc : « Le corps de Stéphanie Fortin retrouvé au bord du fleuve. Le maniaque court toujours. »

Mon cœur s'arrête de battre.

Chapitre 7

L'oiseau dans la cage

Ce soir, la grande salle de l'auberge est remplie à craquer. Trop bouleversée pour avoir eu envie de me costumer, je suis assise avec le grand-père de Kim, parmi ceux et celles qui préfèrent admirer les costumes et qui tentent d'éclaircir les mi-carêmes. Ceux-ci entrent tour à tour, seuls ou par petits groupes, et font un numéro muet, parfois accompagné de musique.

J'ai vu un matelot faire semblant de pêcher, dans une petite barque de carton, et se retrouver tout à coup ensorcelé par de mystérieuses sirènes aux costumes brillants. J'ai aussi vu des toreros se faire piquer les fesses par les cornes d'un taureau sur roulettes. C'est génial! J'ai peine à croire que ce sont des adultes.

Pourtant, la magie de ces numéros ne parvient pas à éliminer de mon esprit l'image de Stéphanie Fortin. Je n'arrive pas à croire qu'elle est morte. Mon humeur s'assombrit chaque fois que je pense à elle.

Les derniers personnages costumés font leur entrée: je reconnais Kim parmi sa tribu de cannibales. Ils dansent et s'agitent en lançant des cris stridents. Collants noirs, pagne de léopard à la taille, colliers de fourrure aux chevilles et le visage couvert de maquillage noir, ils brandissent leurs lances vers les spectateurs.

Autour de Kim, je reconnais sa mère et madame Lisa. Je n'ai jamais vu des grands s'amuser autant! Une fois leur prestation terminée, une dame s'approche du micro:

– Qui veut nous raconter la légende de Rose Latulipe?

– Vas-y, Gérard! suggère un cannibale.

– Je préfère laisser la chance à quelqu'un d'autre cette année, répond un homme en costume de magicien.

À mes côtés, le grand-père de Kim se lève et annonce fièrement:

– Je veux bien y aller… mais seulement si ma petite-fille accepte de venir m'aider un peu. Comme vous le savez, elle rêve de devenir conteuse!

Un instant plus tard, Kim et son

grand-père, installés devant le micro, commencent à nous raconter l'histoire du diable à la danse. Ils forment un duo incroyable. Leurs voix et leur façon de raconter me fascinent. J'oublie Stéphanie Fortin pour entrer dans la peau de Rose Latulipe : je vois le mystérieux étranger se présenter à la fin de la soirée. Il m'invite à danser, mais il ne veut plus s'arrêter. Je vois ses yeux sournois et je sens des griffes se planter dans mon dos pendant que je danse avec lui. Puis, le diable disparaît et Rose Latulipe s'évanouit…

Kim et son grand-père ont si bien réussi à me faire entrer dans la légende que je reviens difficilement dans le monde réel. Tandis que les gens continuent de les applaudir, ils viennent me rejoindre.

Installé dans un coin de la salle réservé aux musiciens, l'accordéoniste joue alors quelques notes. Le violon se joint à l'accordéon, puis le piano. L'aubergiste commence à jouer des cuillères pendant qu'une femme prend le micro.

– C'est la *calleuse,* m'explique le grand-père de Kim. Elle va diriger la danse. As-tu déjà dansé un *set carré,* Elsa ?

– Tu vas voir, c'est facile, ajoute Kim.

Depuis que je suis à l'île aux Grues, je n'en finis plus de découvrir l'étendue de mon ignorance : je ne connaissais ni la mi-carême, ni les légendes, ni les danses, ni même certains mots !

– Tout l'monde en place pour un *set* ! lance la *calleuse.*

—Viens danser ! ordonne Kim en m'entraînant.

Dans un tintamarre de bruits de chaises, plusieurs personnes s'avancent vers la piste et se dandinent impatiemment en attendant que la danse commence.

—Il faut être deux par deux, explique Kim en me prenant la main.

—On commence par la danse de l'oiseau dans la cage, annonce la *calleuse.* Saluez votre compagnie !

L'accordéoniste entame un air endiablé. Kim incline la tête vers moi ; j'en fais autant.

—Tous par la main, un demi-tour à gauche, un demi-tour à droite…

Heureusement, Kim connaît bien les danses et sait quoi faire : je l'imite du mieux que je peux. Les gens doivent bien deviner que je danse un *set carré* pour la première fois; pourtant, personne ne se moque de moi.

—Tout l'monde balance et pis tout l'monde danse! crie la *calleuse.*

Kim me prend par la taille et nous tournons, tournons. La *calleuse* nous fait tourner très vite, très longtemps. Toutes mes pensées virevoltent et tourbillonnent aussi follement que nous! Ma mère m'aime moins qu'avant, Stéphanie est morte, le maniaque rôde encore… Entraînées dans le vertige, mes inquiétudes s'envolent une à une. Cette danse a sûrement un pouvoir secret.

Parmi les couples de danseurs, je remarque madame Lisa et le grand-père de Kim, l'épicier et la femme de l'aubergiste; tous ces visages rougis par le plaisir et la chaleur tournoient autour de nous, souriants, heureux. J'ai encore cette impression de voir pour la première fois des adultes s'amuser vraiment. À Montréal, les gens ne souriaient jamais autant.

—Assez *swingué,* faut continuer…, ordonne la *calleuse* au micro. L'oiseau dans la cage!

À ces mots, chaque petit groupe de danseurs forme une ronde. En un clin d'œil, je me retrouve seule au milieu d'un groupe de danseurs qui tournent autour de moi.

À ce moment, un nouveau mi-carême fait son entrée à l'auberge. Les gens aux tables se retournent. Il est déguisé en diable.

—Il arrive trop tard pour faire son numéro! lance Kim en passant près de moi.

—Promenez-vous autour de la

salle, poursuit la *calleuse.*

Nous avançons à petits pas dansés. En passant près du diable, je réalise qu'il s'agit du personnage que madame Lisa n'arrivait pas à reconnaître. Il est maquillé en rouge et il porte une grande cape noire brodée d'or.

La première danse se termine.

–Une petite valse tranquille pour reprendre son souffle ? propose la *calleuse.*

–J'ai envie de m'asseoir un peu, dis-je à Kim.

–Moi, je danse encore ! réplique-t-elle, débordante d'énergie.

Plusieurs danseurs font comme moi et retournent à leur table. Le diable ne semble connaître personne et nul ne le reconnaît non plus. Au lieu de s'asseoir, il se faufile sur la piste de danse et invite Kim à valser. L'instant d'après, tous deux tournent parmi les autres couples de danseurs et passent près de ma table, en virevoltant. Comme un coup de tonnerre, la vérité éclate alors dans ma tête : ces longs sourcils qui se rejoignent entre les yeux… C'EST LUI !

–Le diable, c'est le maniaque ! dis-je aussitôt au grand-père.

Au même moment, le diable soulève Kim dans ses bras et s'enfuit dehors avec elle. Je ne cesse de répéter au grand-père : «C'est lui ! C'est lui !», mais il continue d'applaudir avec les autres, sans me prêter attention.

Pourquoi applaudissent-ils ? L'accordéoniste ne s'arrête même pas de jouer ! Ma voix n'est pas assez forte et le grand-père est un peu sourd.

–Que dis-tu, Elsa ?

Je lui crie de toutes mes forces :

—Le diable… c'est lui… C'est le maniaque qui enlève les enfants.

—Mais non, Elsa, ne t'en fais pas. C'est la coutume : chaque année, on recrée la légende de Rose Latulipe. Quelqu'un mime le diable ; il invite une fille à danser et l'enlève. Kim va revenir dans deux ou trois minutes.

J'ai horreur qu'un adulte me traite en bébé et n'accorde aucune importance à ce que je dis ! Puisqu'il ne veut pas me croire, je vais parler à madame Lisa. Elle n'a pas réussi à identifier le diable, elle saura que j'ai raison. Zut ! la danse n'est pas terminée.

—Tous par la main et en refoulant ! crie gaiement la *calleuse.*

« Ya-ouh ! » font les danseurs en se rejoignant au centre de la ronde.

Ah! cette danse qui n'en finit plus! À bout de nerfs, je scrute les visages; personne ne s'inquiète. Aux tables, les gens discutent, rigolent. J'essaie de me calmer, mais une voix en moi se fait de plus en plus suppliante: « C'est le maniaque! Fais quelque chose! »

Tant pis si la danse n'est pas terminée! Je me faufile entre les danseurs pour rejoindre madame Lisa.

–Domino! Les hommes ont chaud! s'exclame la calleuse.

À ces mots, la musique et les danseurs s'arrêtent aussitôt. Les formules magiques existent donc aussi à l'île aux Grues?

–Tu veux danser la prochaine avec moi? demande madame Lisa en me voyant apparaître à ses côtés.

–Non, madame Lisa… Le diable,

c'est… c'est… Est-ce que vous l'avez
reconnu ? C'est lui !

– Eh bien, j'ai dit à mon mari que c'était peut-être Arthur Vézina, fait-elle, mais…

– Non, non. Écoutez-moi, madame Lisa : je l'ai reconnu. C'est le ma…

– Choisissez votre compagnie ! beugle encore une fois la *calleuse* dans son micro.

La musique a repris et quelqu'un a déjà entraîné madame Lisa dans la prochaine danse. Je me range le long du mur pour laisser la place aux danseurs. Je ne peux m'empêcher de regarder nerveusement vers la porte à tous moments, espérant voir revenir Kim. Le temps passe et elle ne revient pas. Que fait-elle donc ? Si le diable n'est pas le maniaque, si personne n'a enlevé mon amie, pourquoi ne vient-elle pas me rejoindre ?

Plus j'y pense, plus ça me paraît

évident: Kim ne reviendra pas. Le diable est bel et bien le maniaque et il a bel et bien enlevé mon amie. Je devrais devenir enquêteur de police pour vrai; je devine toujours ce qui se passe avant les autres.

Une seule chose à faire pour en avoir le cœur net: aller voir dehors où est Kim. Sans plus réfléchir, j'enfile mon manteau en vitesse.

Chapitre 8

Une nuit
qui n'en finit plus

J'espérais m'être inquiétée pour rien et trouver Kim près de l'auberge mais, dehors, c'est le grand silence. Un silence profond qui me surprend encore. Rien ne bouge, sauf le scintillement des étoiles dans l'immense ciel noir. Je jette un coup d'œil à la fenêtre : à l'intérieur, les couples de danseurs continuent de tournoyer comme des automates.

Avant de m'éloigner davantage de l'auberge, je scrute la rue. J'aperçois alors deux silhouettes à l'autre bout du village : une longue et une plus petite. C'est sûrement Kim ! Où le diable l'emmène-t-il ? Il faut agir ! Appeler la poli... Zut ! je me rappelle : il n'y a pas de policier sur l'île.

Les silhouettes continuent de s'éloigner. Elles disparaîtront bientôt. Une seule solution : les suivre immédiatement. Ainsi, je saurai où retrouver Kim quand les gens comprendront que le maniaque l'a vraiment enlevée. Il n'y a que moi pour le faire.

Les suivre ? Facile à dire ! J'ai une de ces frousses ! Pourtant, je dois agir rapidement avant qu'ils soient hors de ma vue. Je ne cours aucun danger à les suivre de loin. Du moins, c'est ce que je me répète en tentant de surmonter la peur qui augmente en moi.

J'ai menti à Kim en prétendant que mon rêve était d'attraper les maniaques ravisseurs d'enfants… Me voilà bien punie d'avoir inventé un faux rêve !

Les silhouettes quittent la route et marchent maintenant à travers champs, derrière les maisons. Elles se dirigent vers le fleuve. Je me faufile entre deux maisons pour ne pas les perdre de vue. Heureusement, la neige est assez dure pour me porter.

L'ennui, c'est qu'en plein champ, je ne peux plus me cacher. Si le diable se retourne, il verra que quelqu'un les suit ! J'invente une stratégie : avancer à coups d'enjambées rapides, m'accroupir ensuite quelques minutes et refaire le même manège plusieurs fois. L'important est de garder une bonne distance entre eux et moi.

Mais combien de temps vont-ils marcher encore? Jusqu'où iront-ils? Me voilà tout à coup en plein film tragique. Est-ce bien à moi que tout ça arrive? Habituellement, je regarde le film confortablement installée dans un fauteuil de cinéma, en avalant du maïs soufflé dégoulinant de beurre fondu! Cette fois, l'héroïne morte de peur qui marche toute seule dans la nuit, sur une île perdue, c'est moi! Celle qui tente de sauver son amie enlevée par un ASSASSIN... c'est moi!

Et si je retournais à l'auberge? Je jette un regard en arrière; ma peur ne fait qu'augmenter. Je me suis aventurée si loin qu'il serait aussi pénible de rebrousser chemin que de continuer à suivre les ombres.

Arrivées près du rivage, les silhouettes changent soudain de direction : elles longent maintenant la falaise surplombant le fleuve. Loin des lampadaires du village, je ne vois plus où je pose les pieds et je m'enfonce souvent dans la neige, qui est plus molle par endroits. Il faut pourtant que j'accélère le pas, sinon je les perdrai de vue.

– Aïe !

Mon pied droit a glissé sur une roche, sous la neige. Je me dégage en vitesse. Pourvu que le diable n'ait rien entendu.

Zut ! les ombres s'immobilisent. Le diable se retourne dans ma direction. Je me jette à plat ventre sur la neige, dans l'espoir qu'il ne me voie pas. Catastrophe ! Il avance maintenant vers moi. Il a dû me voir ! AU SECOURS !

La seule possibilité de lui échapper est de ramper jusqu'au bord de la falaise et de me laisser glisser en bas. Je rampe du mieux que je peux. La neige s'infiltre sous mon manteau. Mon corps se crispe de froid. Parvenue au bord de la falaise, je vois la silhouette qui continue d'avancer vers moi. Je m'assois dans la neige et me laisse glisser sur la pente raide. L'opération semble durer une éternité.

Ouf ! me voilà au pied de la pente. L'instant d'après seulement, les larmes aux yeux et le souffle court, je constate dans quel pétrin je suis ! C'était facile de glisser jusqu'ici, mais comment remonter ? Il n'y a ni arbre ni roche auxquels m'agripper.

Craignant que le maniaque arrive à ma hauteur et jette un coup d'œil en bas, je reste quelque temps sans bouger. Comment savoir jusqu'où il ira ? D'ici, je ne peux pas le voir. Raison de plus pour ne pas prendre de risque. Immobile, j'observe les lieux autour de moi et je ressens ma détresse de façon plus brutale encore. Qu'est-ce que je fais là, en pleine nuit, au bord d'un fleuve glacé ? Ce n'est pas possible ! Je me sens comme une somnambule qui aurait repris conscience au beau milieu d'une scène de crime.

Je voudrais reculer dans le temps, n'avoir rien vu d'anormal et être encore à l'auberge, avec Kim, virevoltant parmi les danseurs du *set carré*, l'esprit léger.

La neige, infiltrée à l'intérieur de

mon manteau a fondu. Mes vêtements sont mouillés. Si je reste ici toute la nuit, sans bouger, dans l'air humide du bord du fleuve, je vais sûrement mourir de froid.

Je pense à ma mère et à Robert qui fêtent leur anniversaire en amoureux. Pensent-ils un peu à moi ? S'ils m'avaient amenée avec eux, je ne serais pas en danger. Par contre, je ne pourrais pas aider Kim. Que va-t-il arriver à mon amie ? Maintenant, elle sait que le diable est le maniaque. Elle doit être morte de peur ! Pourquoi le maniaque l'a-t-il amenée au bord de la falaise ? Le corps de Stéphanie a été retrouvé au bord du fleuve…

« Tu as voulu jouer l'héroïne ? Tu vois où ça mène ! » dit tout à coup une voix méchante, triomphante,

dans ma tête.

Elle a peut-être raison, cette voix! Il ne faut pas croire tout ce que dit monsieur Jacques : comme beaucoup d'adultes qui désirent nous encourager, il a exagéré en nous laissant entendre que tout est possible.

« Ne cherche plus de rêve : ça ne sert à rien ! renchérit la voix. Tu vois bien que tu ne serais pas capable de le réaliser… »

Je déteste cette voix. Je continue de penser à Stéphanie, que personne n'a pu aider, et à Kim, qui est encore plus menacée que moi. Il est toujours temps d'aider mon amie.

« Arrête de croire que tu peux sauver le monde ! » reprend la voix.

Cette fois, je lui crie dans ma tête : « Va-t'en ! Je ne t'écoute plus ! »

« Si tu crois qu'on fait ce qu'on

veut dans la vie ! Tu ne te débar-
rasseras pas de moi aussi facile-
ment ! » riposte-t-elle aussitôt. Puis,
elle ajoute d'un ton nasillard : « Tu
n'es qu'une enfant, de toute façon ! »

Jamais il ne faut me traiter d'enfant !
« En vieillissant, tu feras comme la
majorité des gens sur terre, enchaîne
la voix. Tu comprendras qu'il ne sert
à rien de voir grand. C'est bien trop
fatigant ! Il est plus facile d'écouter
ses peurs que de suivre ses rêves… »

Moi ? Jamais de la vie !

J'entends encore monsieur Jacques
nous répéter que nos rêves ont le
pouvoir de guérir le monde. Bien sûr,
pour y parvenir, il nous avait pré-
venus qu'il y aurait des épreuves à
traverser, comme dans les légendes
où le héros doit affronter un dragon.
Le monstre, c'est sans doute cette

voix qui tente de me décourager.

Alors, pas question que j'abandonne! Je répète à la voix: «Va-t'en! Je n'ai pas peur de toi!»

«Tu ne peux pas me forcer à partir! répond la voix, encore plus sûre d'elle. J'ai beaucoup de pouvoir sur toi. N'oublie pas que je suis le seul être qui t'accompagnera dans cette épreuve qui t'attend. Tu ne veux quand même pas la traverser toute seule?»

Un malheur m'attend? Le meurtrier va m'enlever à mon tour? Moi, mourir? Pourquoi? Pourquoi moi? Je n'ai rien fait de mal. Je ne suis pas méchante.

«Stéphanie non plus n'était pas méchante!» ose ajouter la terrible voix, avant d'éclater d'un grand rire qui me donne froid dans le dos.

Je pense à Rose Latulipe ensorcelée par le diable. Je me rappelle que monsieur Jacques disait que nous avions tous, en nous, un petit diable qui nous fait douter de tout... Il disait également qu'il faut être très fort pour ne pas l'écouter.

Je voudrais avoir la force de crier à mes peurs : « Allez-vous-en ! Allez-vous-en ! » Ce n'est pas si simple.

Sans plus réfléchir, je me surprends à lancer au diable : « Je sais que tu cesseras d'exister dès que je cesserai de t'écouter ! »

J'attends quelques secondes. La voix s'est tue. Est-il encore là ? Va-t-il revenir ? Ces instants de répit m'aident à retrouver peu à peu mon courage. Je dois trouver un moyen de remonter la falaise. Ma volonté de sauver ma peau et de retrouver

Kim est plus forte que ma peur. J'avance sur le rivage à la recherche d'un endroit où la falaise serait moins haute. Il doit bien y en avoir un !

Au bout d'un long moment, je trouve enfin un escarpement moins abrupt où quelques broussailles émergent ici et là de la neige. Encouragée, je commence mon ascension en m'accrochant aux branches. À ma grande joie, je réussis à grimper jusqu'en haut, après une seule chute et quelques éraflures.

Parvenue au sommet, je scrute les alentours. Pas de diable en vue ! Je reprends mon souffle et amorce mon retour vers le village. Je trouverai bien une maison sur mon chemin. J'avance à nouveau à travers champs, en espérant que les habitants de l'île ne sont pas tous à l'auberge. Je m'arrête brusquement : je viens d'apercevoir une lumière au loin. Mais cet instant de réconfort est vite rompu ; des pas brisent le silence de la nuit. Je me retourne, le souffle coupé. Rien ! J'ai pourtant bel et bien entendu des pas sur la neige durcie. Je ne suis pas folle ! Quelques secondes passent. Au moment où je commence à croire que mon imagination m'a joué un vilain tour, un autre bruit… Je me retourne de nouveau. Mon cœur ne bat plus, il me mitraille la poitrine ! Pourtant, je ne vois toujours rien.

Je décide de m'éloigner de cet endroit le plus rapidement possible, tout en essayant de garder mon calme. Je fais quelques pas et reste sidérée : le bonhomme sans tête se tient droit devant moi ! J'ai beau me répéter que c'est impossible, je le vois tout de même… Il me fait face, comme s'il pouvait me regarder, et lui aussi reste immobile.

Je suis paralysée. Seules mes pensées continuent de s'agiter : sait-il que je suis là ? Sans tête, comment peut-il me voir ? Que veut-il donc ? Que va-t-il faire ?

Le bonhomme sans tête avance lentement dans ma direction. Cette fois, c'est trop. Mon courage m'abandonne. Je ferme les yeux et cesse de respirer, en espérant de toutes mes forces m'évanouir. Je ne vois pas d'autre issue.

Pourtant, le contraire se produit : une force terrible monte en moi. Je rouvre les yeux. Une explosion incroyable d'énergie, venue de je ne sais où, se fraye un chemin tout en renversant mes doutes et mes peurs. Et je m'entends crier : « NON-ON-ON... » en avançant d'un pas vers le bonhomme sans tête.

L'instant d'après, un bruit puissant déchire à son tour le silence et un faisceau de lumière venant du ciel balaie les champs couverts de neige. Un hélicoptère !

J'aperçois le bonhomme sans tête qui s'enfuit en courant vers l'autre bout de l'île. Il disparaît dans la nuit pendant que l'hélicoptère s'éloigne. Le pilote ne nous a pas vus.

Je crois deviner ce qui se passe : les gens réunis à l'auberge ont compris que Kim avait été enlevée, que le maniaque était bel et bien sur l'île. Ils ont téléphoné à la police de Montmagny qui a envoyé un hélicoptère à sa recherche. J'avais raison : le diable, c'était bien le maniaque… Ma peur ne fait que s'accroître!

Qu'en est-il du bonhomme sans tête? M'est-il vraiment apparu? Mais oui… Je vois des traces sur la neige! La légende ne dit-elle pas que le bonhomme sans tête n'en laisse jamais?… Je n'en peux plus! Je n'ai qu'une envie: trouver de l'aide. Je m'élance à grands pas vers la petite lumière que j'ai remarquée tantôt, mon seul repère dans la nuit.

Quelle déception! La maison que j'espérais trouver sur mon chemin n'est qu'un vieux hangar surmonté d'un lampadaire. Épuisée, je pousse lentement la porte. N'ayant plus ni l'énergie ni le courage de reprendre ma course vers le village, je décide de m'y cacher. Je trouve refuge dans une vieille carriole et m'enfouis sous

l'amas de couvertures qui s'y trou-
vent, me disant que je vais attendre
la clarté avant de retourner chez
Kim.

Du fond de la carriole, je perçois plein de sons étranges à l'extérieur. En essayant d'identifier ces bruits, je pense à Kim et à ses légendes. Par moments, on jurerait que des voix hurlent dans le vent. Je comprends que les gens de l'île aient cru entendre gémir des revenants autrefois!

La nuit est longue. J'ai l'impression qu'elle ne se terminera jamais! Chacune de mes pensées est comme un cheval fou qui court dans une nouvelle direction. Je n'essaie pas de les retenir. N'importe quelle pensée est bonne pour m'occuper l'esprit. Jusqu'où iront-elles? Je les laisse s'échapper une à une, en liberté.

Comment une île aussi petite que l'île aux Grues peut-elle rester en place, sans jamais dériver? Les îles sont-elles rattachées au fond de l'eau par des racines ? Une image surgit dans ma tête : je vois un arbre à l'envers, ses racines se perdent dans le vide du ciel, agitées par le vent. L'arbre est malheureux. Je l'entends pleurer. Il sait qu'il va mourir s'il ne réussit pas à se redresser et à planter ses racines dans la terre.

Un arbre qui n'arrive pas à pousser parce qu'on le transplante sans cesse d'un endroit à l'autre… C'est bien moi, ça !

Je pense à Kim qui vit ici depuis qu'elle est née et qui se sent chez elle partout. Je revois son sourire lumineux et ses yeux pétillants. Cette nuit, si elle était là, avec moi, je lui raconterais tout : que je ne me sens chez moi nulle part, que je ne veux pas trop développer mon amitié avec elle pour avoir moins de peine quand nous déménagerons, encore une fois, l'été prochain.

Je soulève souvent un coin de couverture pour regarder vers la fenêtre, impatiente de voir le ciel pâlir. Ce n'est qu'au bout de plusieurs heures interminables que j'aperçois enfin le signe de ma délivrance : à travers la fenêtre pleine de toiles d'araignée, un coin de ciel devient de plus en plus clair. Le jour commence à se lever. Je respire mieux. Mes peurs disparaissent une à une avec l'obscurité qui se dissipe.

Au petit matin, je sors de ma cachette et je marche vers le village, fourbue, exténuée, comme si j'avais vraiment mené un long combat contre un dragon.

Chapitre 9

« J'ai rencontré le bonhomme sans tête ! »

Je presse le pas, inquiète de savoir ce qui m'attend au village. A-t-on retrouvé Kim ? Est-elle vivante ? La neige durcie est glissante et cela m'empêche d'avancer plus rapidement. A-t-on capturé le diable ? Quelqu'un d'autre a-t-il aperçu le bonhomme sans tête ?

En me faufilant entre deux maisons, j'aperçois un attroupement devant l'auberge. Un galonné vient vers moi, à visage découvert. Je reconnais tout de suite monsieur Painchaud. Les autres se mettent à crier et à faire de grands signes en m'apercevant. Que se passe-t-il ?

–Te voilà enfin ! soupire monsieur Painchaud. D'où sors-tu ?

On m'entoure chaleureusement, on me presse de questions. Des gens que je ne connais pas m'appellent par mon nom, me sourient et s'informent de moi.

–On était très inquiets. Où étais-tu cachée ? demande madame Lisa.

–Nous t'avons cherchée partout ! dit la mère de Kim en remontant ses lunettes sur son nez d'un geste nerveux.

–Tu dois être morte de froid ! continue l'accordéoniste, en m'enveloppant dans une couverture de laine. On a eu si peur pour toi !

Je n'arrive pas à prononcer un mot. Je suis étonnée de voir qu'autant de gens se sont inquiétés à mon sujet. Ce n'est pas moi que l'hélicoptère cherchait dans la nuit! Et Kim, où est-elle?

– Tu as cru que le diable avait enlevé ton amie? intervient le grand-père. Regarde qui était la plus inquiète…

Kim accourt vers moi, visiblement soulagée de me voir. Tout ce que je trouve à dire, c'est:

– J'ai rencontré le bonhomme sans tête, Kim! J'ai rencontré le bonhomme sans tête!

Tous se regardent avec de grands yeux horrifiés. J'ai peut-être prononcé une autre de leurs formules magiques sans le savoir?

– N'aie plus peur, Elsa! fait alors

monsieur Painchaud de sa voix rassurante. Tu es en sécurité.

Étonnée, je vois un policier se pencher vers moi et demander très lentement, en pesant chaque mot :

– Tu es sûre d'avoir vu le bon-homme sans tête ?

– Oui !

– Raconte-moi…

– Il avançait vers moi. J'avais très, très peur.

– À quel endroit étais-tu ?

– Au bord du fleuve, pas très loin d'un vieux hangar, dis-je en indi-quant la direction. En entendant un bruit d'hélicoptère, le bonhomme sans tête s'est sauvé en courant vers l'autre bout de l'île, là-bas.

– Merci beaucoup, Elsa ! ajoute le policier.

C'est étrange : il n'a même pas l'air

surpris. Il se retire sans ajouter un seul mot. Le bonhomme sans tête existe donc vraiment ? Je voudrais tout comprendre d'un seul coup. Je demande à Kim :

— Mais que s'est-il passé ? Je t'ai vue marcher au bord de la falaise avec le diable.

— Calme-toi, Elsa, me dit-elle. Ce n'est pas ce que tu crois.

Je n'ai aucune envie de m'arrêter de parler ! Beaucoup trop de questions se bousculent encore dans ma tête. Du même souffle, je continue :

— À l'auberge, j'ai essayé d'expliquer à ton grand-père que j'avais reconnu le maniaque déguisé en diable, mais il ne m'a pas crue. Alors j'ai décidé de vous suivre.

— Le diable, je le connaissais ! lance Kim. C'est mon oncle Simon qui s'était déguisé. Il n'était pas venu à l'île depuis dix ans et il a décidé de nous faire une surprise.

–Il a bien changé depuis…, fait remarquer madame Lisa, déçue de ne pas avoir réussi à le reconnaître.

–Une fois dehors, continue Kim, j'ai demandé à mon oncle de venir avec moi à la maison : j'avais oublié mon appareil photo. Ensuite, nous avons marché au bord du fleuve pour contempler les étoiles. De retour à l'auberge, je t'ai cherchée !

–Tu m'as pris pour un maniaque ? fait une voix grave derrière moi.

Je me retourne et vois le diable… euh… l'oncle de Kim. Il ressemble vraiment au maniaque, surtout à cause de ses sourcils. Les gens de l'île ne voient pas cette ressemblance. Ils n'ont pas regardé le portrait-robot aussi souvent que moi.

Je me suis trompée. Je me sens coupable d'avoir dérangé tout le monde. C'est très embarrassant! Et puis, je commence seulement à réaliser à quel point j'ai eu peur. Malgré la couverture sur mes épaules, je grelotte et je me mets à pleurer.

– Elsa, dit doucement le grand-père, viens te réchauffer à l'intérieur.

– Je vais te faire un bon chocolat chaud! ajoute madame Lisa.

L'oncle Simon me porte dans ses bras jusque chez Kim. Les gens sont affectueux avec moi… mais ma mère et Robert me manquent de plus en plus.

Je dévore une tartine et bois un chocolat chaud. Ensuite, le récit des événements continue de plus belle.

– Quand je suis arrivé sur l'île,

raconte l'oncle Simon, je ne savais pas qu'une jeune fille avait été enlevée dans la région.

–Quand Simon est revenu à l'auberge avec Kim, continue le grand-père, je lui ai montré le journal et le portrait-robot pour trouver quelle ressemblance tu voyais entre le maniaque et lui !

–J'ai vite compris, continue l'oncle Simon. Comme lui, mes sourcils sont très épais et se rejoignent entre les yeux. Mais ce n'est pas tout : à force de regarder le portrait-robot, j'ai eu un de ces chocs… Je l'ai reconnu !

Quoi ? Qu'est-ce qu'il raconte ? Je ne comprends plus ! Tout recommence à tourner autour de moi, comme pendant la danse, hier soir.

–Ce type-là a pris le même avion que moi, à Montmagny, continue l'oncle Simon. Il portait d'énormes verres fumés. C'était très bizarre ! Il semblait fasciné par le bonhomme sans tête. Pendant le vol, il a sorti de sa petite valise *Le Saint-Laurent et ses îles,* un vieux bouquin où on raconte l'histoire de l'île aux Grues. Il a insisté pour me lire les pages où l'auteur parle des apparitions du bonhomme sans tête et de son affrontement avec un certain Lebel. Il a enlevé ses verres fumés pour me faire la lecture, puis il a tout à coup semblé très inquiet que je l'observe. Il a vite remis ses lunettes et n'a plus prononcé un mot du voyage. Je comprends maintenant pourquoi !

Sur ces mots, Kim vient s'asseoir près de moi et entoure de son bras mes épaules frissonnantes.

– En découvrant que le maniaque

avait pris l'avion pour l'île, poursuit le grand-père, nous avons compris que tu courais un grand danger, Elsa… Nous avons téléphoné à la police de Montmagny qui a aussitôt entrepris des recherches à l'aide d'un hélicoptère.

C'est réellement moi que l'héli-coptère cherchait !

–Tu dis que tu as rencontré le bon-homme sans tête…, ajoute l'oncle Simon. C'était sûrement le menia-que. Tu l'as échappé belle, ma petite !

Je leur raconte ensuite comment j'ai suivi les silhouettes de loin pour que l'on puisse retrouver Kim. Mon amie me regarde, les yeux pleins d'admiration.

–Voilà qui explique tout ! ajoute l'oncle Simon. Quand tu as vu le « diable » se retourner et marcher vers toi, c'est parce que je venais d'entendre un bruit.

Je raconte comment j'ai glissé jusqu'en bas de la falaise, et décris la panique qui s'est emparée de moi au moment où j'ai réalisé que je ne pouvais plus remonter.

– Tout ça pour me venir en aide ! dit Kim. Maintenant, je comprends pourquoi tu rêves de devenir enquêteur de police.

Je termine mon récit en expliquant que les bruits de l'hélicoptère ont fait fuir le bonhomme sans tête juste au moment où il allait mettre la main sur moi. Soudain, le grand-père devient tout pâle et nous dit d'un ton grave :

– Mes enfants, saviez-vous que c'est exactement à cet endroit qu'on a aperçu le bonhomme sans tête pour la dernière fois, en 1841 ?

Mais oui ! Ce petit cap enneigé que Kim m'a montré du doigt à l'arrivée… C'est bien de là que j'ai déboulé jusqu'au bord du fleuve, comme Louis Lebel autrefois. Une vague de frissons me parcourt de la tête aux pieds ! Nous nous regardons en silence, aussi bouleversés les uns que les autres.

– Et le maniaque, où est-il ? dis-je soudain, consciente qu'il est peut-être toujours en liberté.

– Ils ne l'ont pas encore retrouvé, avoue Kim.

– Ne t'inquiète plus, Elsa. Nous veillons sur toi. Ton cauchemar est terminé ! dit le grand-père.

Si au moins il pouvait dire vrai !

Chapitre 10

Bien enracinée

Après le petit déjeuner, la mère de Kim nous a suggéré d'aller dormir un peu. J'ai beau être très fatiguée, je n'y arrive pas. Kim ne réussit pas à fermer l'œil non plus.

Plusieurs illustrations ornent les murs de sa chambre : des photos de personnages costumés, des gravures tirées de livres de légendes. Je suis particulièrement fascinée par celle où l'on voit un homme se dresser seul, tout petit, devant un dragon menaçant.

— Elsa, dit Kim, tu as vraiment cru

que le diable qui m'enlevait était le maniaque ?

– Mais oui ! Je ne savais pas que vous aviez l'habitude de mimer une scène de la légende de Rose Latulipe !

– Je ne voulais pas te le dire pour que tu aies une surprise ! avoue Kim. Et puis, je ne savais pas que le diable me choisirait pour danser avec lui.

Elle ajoute, encore étonnée de mon audace :

– Comment as-tu été assez brave pour venir à mon secours toute seule ?

– Ton grand-père ne voulait pas me croire et madame Lisa n'avait pas le temps de m'écouter…

– Tu es ma meilleure amie, Elsa… Pour toujours !

Ces mots me bouleversent. Kim ne comprend pas mon silence.

– Tu ne veux pas être ma meilleure amie ? s'inquiète-t-elle.

– Au contraire… Je serais très heureuse d'avoir une amie comme toi pour toujours, mais je ne peux pas.

– Pourquoi ?

– Parce que mes parents veulent toujours déménager. Nous repartirons sûrement au mois de juillet, comme on le fait chaque année depuis cinq ans.

La réaction de Kim me surprend. Je croyais qu'elle serait triste, mais elle semble plutôt en colère.

– Tes parents décident seuls ? Ils ne te demandent même pas ton avis ?

– Euh… non !

– Ils n'ont pas le droit ! affirme Kim.

Au même moment, on frappe à la

porte de sa chambre.

–J'ai une bonne nouvelle à vous annoncer, dit fièrement le grand-père de Kim en entrant. On a retrouvé le suspect à la pointe de l'île, dans la direction que tu avais indiquée au policier, Elsa.

–Alors le bonhomme sans tête, c'était bien lui…

Mes jambes deviennent molles. Je dois être blanche comme un drap.

–Elsa a vraiment rencontré le maniaque? interroge Kim, stupéfaite.

–Et moi qui n'ai pas porté attention à ce que tu essayais de me faire comprendre à l'auberge! dit le grand-père. Pardonne-moi, Elsa!

Je lève les yeux vers lui, encore sous le choc: ainsi, je me suis vraiment retrouvée face à face avec l'assassin de Stéphanie.

– Tu me pardonnes ? demande
doucement le grand-père.

Émue, j'acquiesce d'un signe de
tête. Il me prend dans ses bras. J'ai
l'impression de vivre sur l'île depuis
très, très longtemps. Je pense à ma

mère et à Robert : ma mère sera-
t-elle fâchée ? Comment vont-ils
réagir ? M'en voudront-ils d'avoir
abrégé leur voyage pour rien ?

Cette nuit, croyant que j'étais dis-
parue, la mère de Kim leur a téléphoné à l'auberge de Tadoussac. Au
petit matin, quand elle a voulu les
rappeler pour leur dire qu'on m'avait
retrouvée, c'était trop tard : ils avaient
fait leurs bagages et avaient repris la
route pour Montmagny et l'île aux
Grues.

Je pense à la réaction de Kim tout
à l'heure.

– Tu crois que ma mère m'écoute-
rait si je lui disais que je ne veux
plus déménager ?

– Tu devrais au moins essayer !

Kim a raison. Je n'ai rien à perdre
à en parler. Elle devine aussitôt mon

inquiétude, car elle ajoute :

—N'aie pas peur, ta mère ne sera pas fâchée. C'est quand même grâce à toi si le maniaque a été retrouvé! Elle sera fière de toi et son ami aussi. Tu feras une très bonne détective!

Je n'en peux plus de ce mensonge. Mon amie m'en voudra-t-elle si je lui dis tout? Tant pis, je choisis de prendre le risque.

—Kim, je dois t'avouer quelque chose.

Elle me regarde en silence, très attentive.

—Je t'ai menti : ce n'est pas du tout mon rêve d'être enquêteur de police. J'ai lancé la première idée qui me venait à l'esprit parce que j'avais honte de ne pas avoir de rêve.

—Tu n'as pas de rêve?

–Maintenant, oui, j'en ai.

C'est vrai. Maintenant, j'en ai plusieurs : continuer de vivre à Montmagny pour être longtemps amie avec Kim et revenir souvent à l'île aux Grues pour revoir son grand-père, madame Lisa, monsieur Painchaud, l'accordéoniste et tous les autres.

• • •

Ma mère est arrivée chez Kim les yeux pleins de larmes, hier.

–Elsa ! Tu es bien vivante ! C'est tout ce qui compte. Nous avons eu tellement peur de te perdre, Robert et moi…

Depuis, je sais que ma mère m'aime encore vraiment. J'en suis certaine. Même Robert était bouleversé.

Aujourd'hui, à l'école, je repense à tout ce qui s'est passé pendant la fin de semaine et j'ai du mal à y croire. Je n'arrive pas à me concentrer.

Il n'y a plus de portraits-robots dans l'école, mais plutôt une grande photo de Stéphanie au pied de laquelle chacun peut offrir un dessin, un poème, une lettre… J'y ai déposé une rose blanche et, à côté de mon cadeau, j'ai glissé *Le cauchemar d'Elsa,* ce roman que Stéphanie m'avait prêté.

Monsieur Jacques nous donne l'occasion de parler d'elle aussi souvent et aussi longtemps que nous le voulons. Il m'a demandé de raconter mon aventure à toute la classe.

—Vous savez, dit-il aux autres, c'est grâce à Elsa si vous êtes de nouveau en sécurité aujourd'hui.

À mon retour de l'école, je me sens encore triste. Ma mère dit que je peux tout lui raconter une fois de plus, si je veux. Comme je reste muette, elle regarde Robert et c'est elle qui prend la parole.

– Elsa, commence-t-elle doucement, ne t'en fais plus. Robert a eu une excellente idée : pour t'aider à te remettre de ce qui s'est passé, nous allons déménager plus tôt, cette année.

Je les regarde, stupéfaite.

– Mais oui, continue Robert, cela t'aidera à oublier les événements difficiles des derniers jours.

Mais je ne veux pas oublier, moi ! En un instant, les voilà qui défilent dans ma tête : Kim et son grand-père, madame Lisa, l'accordéoniste et les galonnés. Ils me sourient et scandent ensemble en tapant dans leurs mains : « Dis-leur ! Dis-leur ! Dis-leur ! » Leur présence réveille cette force nouvelle en moi, celle qui s'est manifestée pour la première fois devant le bonhomme sans tête. Elle est donc encore là…

— Qu'est-ce qu'il y a, Elsa ? fait ma mère. Tu es toute pâle !

— Je ne veux pas déménager ! Plus jamais. Vous m'entendez ? Je n'en peux plus de toujours tout quitter.

Et alors, je leur explique tout : que je souhaite être amie longtemps avec Kim et que j'ai très hâte de retourner à l'île aux Grues. Je leur parle de rêves qui n'ont pas le temps de pousser et d'un arbre qui va mourir si personne ne l'aide à rester bien en terre. Je leur dis que même les îles ont des racines et que…

– Je suis désolé, Elsa ! dit Robert. Nous ne savions pas que le fait de déménager souvent te rendait aussi malheureuse.

– Ne t'inquiète plus, ma chérie ! ajoute ma mère en me prenant dans ses bras. Au fond, nous rêvons de nous installer ici pour longtemps.

Depuis, une image remplit ma tête : cette fois, l'arbre renversé dont les racines se perdaient dans le vide du ciel, il est bien en terre. Ses premières feuilles me chatouillent déjà.

Maintenant, je le sais : il y a en moi une grande force capable de tout pour survivre. Je ne crains plus de porter des rêves. Je sais qu'ils pourront grandir. Le vrai cauchemar d'Elsa est terminé.

Notes

• Pour découvrir l'histoire de l'île aux Grues et la légende du bonhomme sans tête : *Le Saint-Laurent et ses îles,* Damase Potvin, Montréal, éd. Leméac, 1984.

• Il existe plusieurs versions orales de la légende de Rose Latulipe, sous des titres comme : « Le diable à la danse », « Le diable beau danseur », « La fille enlevée par le diable ». Celle dont je me suis inspirée provient de la région de l'Islet.

Agathe Génois

En nomination pour le Prix du
Gouverneur général dès son
premier roman, en 1997,
Agathe Génois s'est rapidement imposée dans l'univers
de la littérature jeunesse. Avec
ce quatrième roman, *L'île
aux mille visages,* elle se taillera
une place privilégiée dans
le cœur des jeunes lecteurs
passionnés de suspense
et de mystère.

Pour en savoir plus long sur l'auteure :
http://felix.cyberscol.qc.ca/LQ/auteurG/genois_a/genois.html

Dans la même collection

1 **Monsieur Engels**
Hélène Vachon

2 **L'île aux mille visages**
Agathe Génois

3 **L'oiseau de passage**
Hélène Vachon

4 **Lorian Loubier, superhéros**
Martine Latulippe

5 **Songes et mensonges**
Nathalie Loignon

6 **Lorian Loubier, grand justicier**
Martine Latulippe

7 **Le coq de San Vito**
Johanne Mercier

8 **Lorian Loubier – Appelez-moi docteur!**
Martine Latulippe

9 **Derrière le mur**
Camille Bouchard

10 **Chagrine**
Nathalie Loignon

Achevé d'imprimer en septembre 2004
sur les presses de Imprimerie L'Empreinte inc.
à Ville Saint-Laurent (Québec)